Y0-AQH-073

LA CUEVA

Rob Hodgson

CUBILETE

S
xz
H

Había una vez una cueva.

La cueva era el hogar
de alguien muy chiquitín.

Alguien muy chiquitín
que nunca salía de su cueva…

¡… por culpa de un lobo!

«¿Por qué no sales a jugar,
chiquitín?»,
le preguntaba el lobo.
«Estoy seguro de que
podríamos ser GRANDES amigos».

«No, gracias»,
contestaba el chiquitín.
«Yo ya tengo amigos».

Y el chiquitín
se quedaba en su cueva.

El lobo insistía día tras día.

«¿Por qué no sales a jugar,
chiquitín?»,
le preguntaba.
«Seguro que estás
ABURRIDÍSIMO ahí dentro,
siempre encerrado en tu cueva».

«No, gracias»,
contestaba el chiquitín.
«Solo se aburre
la gente aburrida».

Y el chiquitín
se quedaba en su cueva.

Pero el lobo nunca se marchaba.

Ni siquiera para dormir.

Y el chiquitín jamás salía.

No quería ir de excursión a la montaña.

Ni jugar a la pelota.

Ni coger flores.

Y mucho menos, dar de comer a los pájaros.

Por fin, un día el lobo le dijo:

«¿Por qué no sales a jugar,
chiquitín?
¡YA EMPIEZO A TENER HAMBRE!
Upsss…, ejemmm…, estooo…,
¡quiero decir que TÚ
debes de estar hambriento!».

«¡Huuuuᵤᵤᵤᵤᵤummmmₘ!».

El chiquitín se relamió.
«Pues, ahora que lo dices,
sí que tengo *un poco* de hambre».

«¡Estupendo!», exclamó el lobo.
«Aquí fuera tengo un bollo riquísimo…
¡que lleva TU nombre!
¿Por qué no sales a buscarlo?».

«¿Tiene fideos de colores?»,
preguntó el chiquitín.

«¡SÍ!»,
contestó el lobo.

Entonces el chiquitín
avanzó unos pasos, se estiró…

¡Y SALIÓ A JUGAR!

«¡Me encantan los bollos!»,
exclamó el ENORME oso.
«Pero sigo teniendo hambre…».

Y, día tras día,
el oso le preguntaba al lobo:
«¿Por qué no sales a jugar,
chiquitín?
¡Estoy seguro de que
podríamos ser GRANDES amigos!».

Para todas las pequeñas criaturas del mundo (R. H.)

Título original: *The Cave,* publicado por primera vez en el Reino Unido
por Frances Lincoln Children's Books - Quarto Knows.com
The Cave: © Frances Lincoln Children's Books, 2017
Texto e ilustraciones: © Rob Hodgson, 2017
Diseño: Andrew Watson

© Grupo Editorial Bruño, S. L., 2017
Juan Ignacio Luca de Tena, 15; 28027 Madrid

Coordinadora de la colección: Ester Madroñero

Dirección Editorial: Isabel Carril
Coordinación Editorial: Begoña Lozano
Edición: Cristina González
Traducción: Pilar Roda
Preimpresión: Pablo Pozuelo

ISBN: 978-84-696-2068-7
Depósito legal: M-12813-2017
Reservados todos los derechos
Impreso en China

MIXTO
Papel procedente de
fuentes responsables
FSC
www.fsc.org
FSC® C008047

www.brunolibros.es